afgeschreven

Een droompaard voor Ilka

Een droompaard voor Ilka

Tiny Fisscher

Dit is een speciale uitgave in opdracht van Dutch Media Trade bv.

© 2008 Tiny Fisscher en Moon, Amsterdam 2008
Omslagbeeld © 2008 Terrie R. Zeller, Shutterstock Inc.
Zetwerk ZetSpiegel, Best

ISBN 978 90 480 0076 0
NUR 283

www.tinyfisscher.nl
www.moonuitgevers.nl

Moon is een imprint van Dutch Media Uitgevers bv.

Met grote dank aan Tanja en haar fjordenpaard Max,
die mij zo liefdevol hebben ingewijd in de wereld
van het paard (www.lerenvanpaarden.nl).

1

'Naar Hongaríje?' Geschrokken kijkt Ilka haar moeder aan. 'We zouden toch naar Spanje gaan?'

Simone schudt haar hoofd. 'We moeten dingen regelen in verband met de boerderij. Daar komen we echt niet onderuit.'

Met een zucht zakt Ilka terug in de rugleuning van haar stoel. Hongarije is wel de laatste plek waar ze naartoe wil. Ze had zich zó verheugd op Spanje: zon, strand, zee, vriendinnetjes.

In Hongarije was er misschien wel zon, maar geen strand en al helemaal geen zee, om van vriendinnetjes nog maar te zwijgen.

'Het is toch superleuk om daar eens naartoe te gaan?' probeert Simone haar dochter te overtuigen. 'Dan kun je zien waar je vandaan komt.'

Ilka krijgt een stuurse blik op haar gezicht. 'Ik kom uit Nederland,' zegt ze. 'En papa ook, die is in Nederland geboren, toch?' Ze zucht. Dat haar vader nou toevallig van Hongaarse afkomst is, wil toch niet zeggen dat zij daarnaartoe moet? Hij is er zelf ook al twintig jaar niet geweest. Maar nu hij plotseling de boerderij van een of andere oom geërfd blijkt te hebben, moeten ze zo nodig meteen naar Hongarije. Alsof die boerderij anders wegloopt, of zo.

7

'Kan papa er niet alleen naartoe, na de zomervakantie?'

'Nee, Oszkar werkt toch op een school, dat kan toch niet?'

'Herfstvakantie dan?' probeert Ilka. Ze wil heus wel eens naar die boerderij, maar niet nu, niet in de zomervakantie, niet als ze net naar Spanje zouden gaan.

Simone strijkt Ilka over haar hoofd. 'Je zult zien dat het hartstikke leuk is daar. En ik wil trouwens zelf dolgraag zien waar Oszkars *roots* liggen. Ik ben nog nooit in Hongarije geweest.'

Mokkend haalt Ilka haar schouders op. Een paar dagen geleden, toen er een grote envelop in de bus was gevallen met een Hongaarse postzegel erop, had ze het nog wel spannend gevonden. De brief die erin zat, was in het Engels geschreven en kwam van een notaris. Oszkar had de brief voor Ilka vertaald. Ze had er maar één zin van onthouden: ... *en omdat u het laatst overgebleven familielid bent van Laszlo Szilágyi, de broer van uw vader János Szilágyi, is de boerderij voor u.*

Oszkar was stomverbaasd geweest. Had zijn vader een broer gehad? Dat wist hij helemaal niet. En nu was die broer dus overleden, en was zijn boerderij van hem. Een boerderij midden op de Hongaarse poesta.

Ilka was meteen enthousiast achter de laptop gedoken. Ze vond het superspannend om iets te erven van een geheimzinnig (en misschien wel rijk!) vergeten familielid. Maar nadat ze het woord POESTA had ingetikt, was haar enthousiasme snel minder geworden. Al op de eerste site die ze las, kwam ze te weten dat het woord 'poesta' oorspronkelijk 'leegte, wildernis, woestenij' betekende. Dat zijn nou niet bepaald woorden waar haar hart sneller van gaat kloppen. Ze houdt niet van leegte en woestenij. Integendeel.

'Heb je al gezien hoe mooi het daar is?' probeert Simone nog eens.

'Ja, leeg en kaal,' zegt Ilka meteen.

Toch kijkt ze met een schuin oog naar het beeldscherm van Simones laptop. Haar moeder heeft de zoekwoorden HONGAARSE POESTA ingetikt en klikt nu op AFBEELDINGEN.

Dat had ze beter niet kunnen doen: de eerste plaatjes die tevoorschijn komen, zijn foto's van kale grasvlaktes. En daarna komen er foto's van paarden, heel veel foto's van paarden.

Verschrikt kijkt Ilka haar moeder aan. 'Páárden?'

'Oeps...' zegt Simone. Ze bijt op haar lip.

Boos staat Ilka op van haar stoel, loopt de kamer uit en knalt de deur achter zich dicht.

Kale grasvlaktes en paarden. Nu wil ze al helemáál niet meer naar Hongarije.

2

'Paarden? Cool! Mag ik mee?' Kim kijkt Ilka bijna smekend aan. 'Als daar zoveel paarden zijn, ga ik veel liever met jou mee dan met mijn ouders en broertjes naar zo'n stom Italiaans meer!'

Ilka schiet in de lach. 'Ha, ha, wij hebben gewoon de verkeerde ouders gekregen. Ik had die van jou moeten hebben en jij die van mij.'

Kim grinnikt. 'Dan had jij wel twee heel vervelende broertjes gehad.'

'Bah, nee,' zegt Ilka meteen. Ze vindt het helemaal niet erg om enig kind te zijn. Kim kan nooit lekker rustig een boek lezen, altijd zitten haar broertjes herrie te maken. Ilka moet er niet aan denken.

'Dus jij zit straks lekker tussen de paarden...' zegt Kim dromerig.

Ilka trekt haar neus op. 'Wat je lekker noemt.' Waar Kim het liefst de hele dag op een paard zou zitten, blijft Ilka er bij voorkeur kilometers vandaan. Als zevenjarige heeft ze een keer een halfuur huilend op de rug van een shetlander gezeten. Ze was er bijna vanaf gevallen en had alleen maar doodsangsten uitgestaan. Sindsdien is ze nooit meer bij een paard in de buurt geweest. 'En dat voor een meisje met Hongaars bloed,' had haar vader gezegd. 'Hongaren staan bekend als ruitervolk.'

'Daar heb ik bij jou anders niks van gemerkt,' had Ilka hem meteen toegebeten. En met een ondeugend lachje erachteraan: 'Misschien ben ik jouw dochter wel helemaal niet en heb ik een geheime vader.'

Haar ouders hadden daar allebei hartelijk om moeten lachen. Als er íémand als twee druppels water op haar vader leek, dan was het Ilka wel: hetzelfde donkerbruine haar, dezelfde lach, dezelfde bijzondere groene ogen.

'Als ik naar Hongarije mocht, ging ik elke dag paardrijden,' zegt Kim verlangend.

'Nou, ik niet,' zegt Ilka. 'Ik hoop écht dat daar ook iets te zwemmen valt.'

Zo dol als Kim is op paarden, zo dol is Ilka op water. Als er zoiets bestaat als meerdere levens, dan is ze in een vorig leven vast een waterrat geweest. Of een eend.

'Dus je gaat écht niet paardrijden daar?' gaat Kim door.

'Hou er toch eens over op,' reageert Ilka een beetje geïrriteerd. 'Ik hoef toch niet alles leuk te vinden wat jij leuk vindt? Laat me nou!'

'Pff,' blaast Kim. 'Ik mag het toch wel vrágen?'

Ineens voelt Ilka een steek van jaloezie. Diep in haar hart zou ze veel liever net zo stoer zijn als Kim. Die deinst voor de grootste Arabische volbloed nog niet terug, terwijl zijzelf al de bibbers krijgt als ze aan een shetlander dénkt.

Als ze ziet dat Kim haar een beetje bedremmeld staat aan te kijken, schiet Ilka in de lach. 'Oké,' zegt ze toegeeflijk. 'Als ik paarden zie, zal ik een foto voor je maken.'

Kim grinnikt. 'Alleen als ze achter een hek staan, zeker.'

'Yep,' zegt Ilka. 'Achter een héél hoog hek.'

3

'Hè, hè, eindelijk,' zegt Oszkar opgelucht als hij het scheef-gevallen straatnaambord langs de kant van de weg ziet staan. DÉLI UT staat erop, de naam van de straat waaraan hun boerderij zou moeten staan. Simone mindert vaart en draait rechtsaf de smalle onverharde weg op. 'Het zal tijd worden,' zegt ze. 'Ik ben bekaf.'

Ze zitten al drie dagen in de auto en ze zijn vanmiddag ook nog eens faliekant fout gereden, waardoor ze er veel later zijn dan gepland.

Gespannen kijkt Ilka door het open raam. Warme wind blaast langs haar gezicht, en dat terwijl het al negen uur 's avonds is. Het is hier veel warmer dan ze had verwacht. En ook veel stiller. Behalve het zachte ronken van de motor hoort ze niets, helemaal niets.

Aan hun linkerhand zien ze een verveloos hek, waar nummer 2 op staat. Een stuk achter het hek, aan het eind van een pad dat met vergeeld, uitgedroogd gras is over-woekerd, zien ze een bouwvallige boerenhoeve.

'Wat een armoe...' mompelt Oszkar, terwijl hij om zich heen kijkt.

Ook Ilka voelt de moed in haar schoenen zinken. De hele dag zijn ze door de prachtigste gebieden gereden: ber-gen, bossen, rivieren en kleurrijke dorpjes – alles veel mooier dan ze had verwacht. Maar de laatste anderhalf uur heeft ze vanaf haar plekje op de achterbank bijna alleen nog maar oneindige grasvlaktes gezien. Grasvlaktes waarop grijze koeien vredig stonden te grazen en schapen met gekrulde hoorns stevig tegen elkaar aan stonden, alsof ze het koud hadden.

'Kijk, je lievelingsdieren,' had Oszkar een beetje plagend gezegd, toen de eerste paarden in zicht kwamen. En een minuut later, met een grote grijns: 'En nóg meer lievelingsdieren!' Hij kon wel aan de gang blijven, er ging geen minuut voorbij of er was wel ergens een paard te bewonderen.

Ilka was blij dat ze die zogenaamde lievelingsdieren op een veilige afstand vanuit de auto kon bekijken. Ze hoopte vurig dat de omgeving van 'hun' boerderij paardvrij was.

In het schemerdonker rijden ze langs ver uit elkaar staande, slecht onderhouden huizen, die nog eens onbewoond lijken ook. Nergens brandt licht en er is geen mens op straat. Niet eens een blaffende hond die de stilte doorbreekt. Het gebied lijkt uitgestorven.

'Zie je nou wel, er is hier écht niks te doen,' zegt Ilka op een toon alsof haar ouders dat toch ook wel van tevoren hadden kunnen bedenken.

Simone zucht. 'Dit is eerlijk gezegd ook niet wat ik had verwacht...' Ze draait haar hoofd naar Oszkar toe. 'Jij?'

Oszkar blaast zijn wangen bol. 'Waarom denk je dat ik niet in dit godvergeten land wóón?'

'Nummer 14?' mompelt Simone een beetje kribbig, terwijl ze een klein, wit gestuukt huisje passeren. 'Nu zijn we ineens te ver.' Met een frons in haar voorhoofd kijkt ze om zich heen. 'Ik snap het niet, ik heb na nummer 10 helemaal geen huis gezien.'

'Dat rijmt,' zegt Oszkar droogjes.

Ilka steekt haar hoofd uit het raampje en knijpt haar ogen tot spleetjes. Een stukje terug ziet ze een groepje grote bomen, met daarachter – tenminste, zo lijkt het – een huis.

Als Simone de auto keert, gaat Ilka's hart onwillekeurig toch iets sneller kloppen. Dat huis, verstopt achter de bomen, is nu van hen. Een huis waarvan ze een paar weken geleden het bestaan niet eens wisten. Nu ze er eenmaal zijn, wordt ze er toch wel nieuwsgierig naar.

Nog voordat Simone het sleuteltje uit het contact heeft gehaald, zwaait Ilka het autoportier open. SZILÁGYI leest ze even later op een slecht leesbaar houten naambordje naast de voordeur. Wat gek om haar eigen achternaam hier te zien staan... Ze duwt tegen de voordeur. Dicht.

'De sleutel schijnt bij de buren te liggen,' hoort ze Oszkar achter zich zeggen. 'Maar over de telefoon vertelde de notaris dat de achterdeur gewoon open is.'

Het is een groot huis. De voorkant lijkt nog heel wat, maar hoe verder ze naar achteren lopen, hoe slechter de staat van onderhoud blijkt. Als ze eenmaal bij de achterdeur zijn aangekomen, lijkt het zelfs een totaal ander gebouw.

'Gatverdamme!' roept Simone zodra ze over de drempel stappen. 'Wat een lucht!'

Ook Ilka trekt haar neus op. De ruimte waar ze binnenkomen, lijkt op wat ooit een bijkeuken geweest moet zijn. Ze zien een klein, smerig wasbakje in de hoek, een vermolmde bezem tegen een van de beschimmelde muren en daarnaast een emmer met een laagje bruine drab erin.

Oszkar spreidt zijn armen en grijnst. 'Een waar paleisje.'

Hij pakt de smoezelige klink van de binnendeur beet en duwt ertegenaan. In het halfdonker zien ze een lange, smalle gang, met het silhouet van één enkel peertje aan het plafond. Simone klikt een ouderwetse zwarte lichtschakelaar om. Tot hun verbazing licht het peertje meteen op.

'Feestverlichting!' roept Oszkar. 'Die ouwe oom Laszlo dacht ook aan alles.'

Ilka en Simone schieten in de lach. Zelfs nu weet Oszkar zijn goede humeur te bewaren.

Ze lopen een stukje de gang in en Oszkar duwt een volgende deur open. Ze komen in een grote woonkamer, waar ze bijna struikelen over een oude leren stoel. Door de scheuren in de zitting stulpt de vulling naar buiten. Ernaast staat een asbak op een statief, tot de rand toe gevuld met peuken. Ernaast staat een krakkemikkig salontafeltje. Op de plek van een ontbrekende poot heeft Laszlo een op maat gesneden boomtak geklemd. Ilka ziet twee verschoten schilderijen van de Hongaarse poesta aan de muur, met daaronder een grote buffetkast. In een hoek van de kamer staat een eettafel met een bevlekt lichtgroen tafelkleed erover, dat al jaren geen sopje heeft gezien. Er staan twee stoelen bij, allebei met een kapotte rieten zitting.

'En híér zouden wij twee weken onze vakantie moeten doorbrengen?' roept Simone uit. 'Die notaris had toch gezegd dat we hier konden slapen?'

'Nou, ik vind dat helemaal geen gek idee van die notaris,' zegt Oszkar met een stalen gezicht. 'Als ik zo om me heen kijk, zit ik er zelfs over te denken om onze vakantie met een paar weken te verlengen.' Hij vertrekt zijn gezicht in een brede grijns. 'Of liever nog: laten we hier gaan wónen. Zeg nou zelf: hier wil je toch nooit meer weg?'

Simone geeft hem een stomp. 'In dat geval moet je maar een Hongaarse vrouw zoeken.'

'En een Hongaars kind,' vult Ilka aan.

'Dat Hongaarse kind heb ik al,' brengt Oszkar haar fijntjes in herinnering.

'Hálf Hongaars, pap. Hálf Hongaars. En dat wil ik graag zo houden.'

Met de rest van het huis is het al niet veel beter gesteld. De kapotte plavuizenvloer in de keuken plakt, de schimmel staat ook hier op de muren en het aanrecht lijkt in eeuwen niet schoongemaakt. Boven zijn vijf kamers, maar in niet één ervan staat een bed. De grotere kamers liggen vol rotzooi. In de kleinste kamer ligt een matras op de grond met een groezelige deken erop.

'Dus hier heeft oom Laszlo zijn nachten doorgebracht,' zegt Oszkar. Hij klakt met zijn tong. 'Gezellig.' Lachend kijkt hij beurtelings naar Simone en Ilka. 'Wat zullen we doen,' zegt hij, en hij telt zijn vingers af. 'Hier, hotel, huisje of tent?'

'Ik vind alles goed,' zegt Simone meteen. 'Zolang het maar niet hier is.'

4

De volgende ochtend wordt Ilka wakker van een straal zonlicht die door een kier in de gordijnen naar binnen schijnt. Ze knijpt haar ogen dicht. Ze wil helemaal nog niet wakker worden, ze lag net zo lekker.

Maar de zonnestraal schijnt niet alleen de kamer binnen, hij glijdt ook over haar gezicht en prikkelt haar huid. Met een zucht opent Ilka haar ogen. De zon is het er kennelijk niet mee eens dat ze wil blijven liggen.

Steunend op haar ellebogen kijkt ze om zich heen. Door de openstaande deur ziet ze dat het bed in de slaapkamer van haar ouders al leeg is. Vanuit de keuken dringt het geluid door van bordjes die op elkaar worden gestapeld en in de badkamer klettert water op de betegelde vloer.

Glimlachend denkt Ilka terug aan gisteravond, toen ze tot hun stomme verbazing helemaal achter op het erf een gastenhuisje vonden, waarvan de deur open was. Het bleek niet alleen schoon, maar ook volledig ingericht te zijn. 'Wat zullen we nou krijgen,' had Oszkar uitgeroepen. En daarna, gespeeld teleurgesteld: 'Net nu ik me had verheugd op een tent en een slaapzak.'

Ze waren dolblij geweest dat ze niet meer naar een hotel hoefden te zoeken of een tent hoefden op te zetten en hadden besloten hier in ieder geval de eerste nacht te blijven.

'Mocht het tegenvallen, dan zien we morgen wel weer verder,' had Simone gezegd.

Wat Ilka betreft is het niet tegengevallen. Ze heeft heerlijk geslapen en als ze zo om zich heen kijkt, kan ze het hier best even volhouden. In vergelijking met de boerderij of een tent is het hier pure luxe.

Ze stapt uit bed en schuift de gordijnen open. Als door een wesp gestoken springt ze achteruit. Voor het raam staat een donkerharige jongen met zijn handen langs zijn ogen gevouwen door het raam te turen. Snel trekt hij zijn handen weg, zet een stap naar achteren en blijft verschrikt staan.

'Mam!' roept Ilka.

Simone steekt haar hoofd om de hoek van de deur. 'Wat?'

'Daar!' roept Ilka.

Simone kijkt langs haar dochter heen naar buiten. 'Waar?'

'Daar!' Ilka draait haar hoofd terug naar het raam en wijst. Niemand.

'Er stond een jongen door het raam te gluren!' roept Ilka. Ze opent het raam en steekt haar hoofd naar buiten. Ze kijkt links en rechts. De jongen lijkt van de aardbodem verdwenen.

'Weet je het zeker?' vraagt Simone.

Ilka kijkt haar boos aan. 'Ik ben toch niet gek!'

'Wat is er allemaal aan de hand?' Met een handdoek om zijn middel geknoopt komt Oszkar de kleine slaapkamer binnen.

'Volgens Ilka stond er een jongen voor het raam,' antwoordt Simone.

Oszkar schiet in de lach. 'Geef hem eens ongelijk. Het komt vast niet elke dag voor dat hier een mooi meisje logeert. Gun die jongen ook wat.'

Ilka pakt een kussen van haar bed en gooit het naar haar vader toe. 'Ik ben pas elf hoor, doe niet zo stom! Ik schrok me kapot van die gast!'

Oszkar vangt het kussen behendig op en kijkt zijn dochter – zijn hoofd een beetje scheef – verontschuldigend aan. 'Sorry,' zegt hij dan. 'Grapje.'

Ilka vouwt haar armen over elkaar. 'Stom grapje.'

Ze kijkt weer naar buiten en bijt op haar lip. Wie was die jongen, vraagt ze zich toch stiekem af. En waar is hij ineens gebleven?

5

Nadat ze hebben ontbeten, willen Oszkar en Simone de staat van de boerderij verder inspecteren. Ilka besluit hetzelfde te doen met het boerenerf, dat veel groter blijkt te zijn dan ze had verwacht.

Tussen de boerderij en het gastenhuisje in ligt een groot, slecht onderhouden stuk grond met een paar even slecht onderhouden fruitbomen erin. Onder een grote appelboom staat een versleten, rieten schommelstoel. Rond het perceel liggen weides die volgens Oszkar ook nog bij het huis horen.

Ilka loopt over het pad dat langs het erf loopt en dat is afgescheiden door een rij hoge populieren. Als ze bij het hek is dat de weilanden aan de achterkant van het erf omheint, klinkt achter haar ineens een stem.

'*Hello.*'

Verschrikt draait Ilka zich om. Een vriendelijk gezicht kijkt haar aan.

'*Hello...*' zegt ze verlegen terug.

'*Who are you?*' vraagt de jongen.

Ilka zegt haar naam.

De jongen legt zijn hand tegen zijn borst. 'Tass,' zegt hij. Ilka trekt haar wenkbrauwen vragend op.

'*My name,*' verduidelijkt hij.

Nu Ilka hem van dichtbij ziet – en niet met een raam

ertussen – snapt ze niet dat ze vanmorgen zo van hem schrok. Hij is een kop groter dan zij, maar zijn grote donkerbruine ogen kijken haar met een zachte blik aan en om zijn mond speelt een glimlach.

Tass wijst langs haar heen naar hun auto die naast de boerderij geparkeerd staat. 'Holland?' vraagt hij.

'Ja,' antwoordt Ilka verrast. Haar ouders rijden in een oldtimer die geen herkenbare gele kentekenplaten heeft, maar ouderwetse zwarte. Kennelijk heeft deze jongen verstand van auto's.

'Ik beetje Nederlands kan,' zegt Tass dan met een trotse glimlach. 'Leren van Inge.' Hij spreekt de 'g' achter de 'n' uit als een zachte 'k'. Ilka moet erom lachen. 'Wie is Inge?' vraagt ze.

Tass zoekt zichtbaar naar woorden. 'Maisje,' zegt hij dan.

'En waar woon jij dan?' wil Ilka weten.

Tass wijst naar een boerenhoeve een stuk verderop, half verscholen achter een rij bomen.

'Dus we zijn buren,' stelt Ilka vast.

Tass knikt. 'Waarom...' begint hij zijn zin. Daarna valt hij stil, kennelijk weet hij niet hoe hij verder moet. Hij gebaart naar de vervallen boerderij van oom Laszlo. 'Jullie, wie...?'

'De boerderij was van een oom van mijn vader,' zegt Ilka, de woorden een voor een langzaam uitsprekend.

'O,' zegt Tass met een niet-begrijpende blik.

'Het huis is nu van ons,' legt Ilka uit, terwijl ze met haar vingertoppen tegen haar borstbeen tikt. 'Want oom Laszlo is dood.'

'Ja, ik weet,' zegt Tass, zichtbaar opgelucht dat hij Ilka begrijpt. 'Ik weet. Laszlo oud.' Hij grijnst. 'Laszlo raar. Slapen op grond.' Hij wijst naar het gastenhuisje. 'Daar bed.' Hij strijkt zijn duim heen en weer langs zijn wijs- en middelvinger. '*Tourist. Pay.*'

Ilka schiet in de lach. Zij zijn geen toeristen. Zij hoeven niet voor dit huisje te betalen, het is nu van hen. Haar ouders zeiden vanmorgen nog dat ze niet wisten of ze het willen blijven verhuren. 'Zoveel gedoe,' had Oszkar gezegd. Maar een telefoontje met de notaris had hun duidelijk gemaakt dat de buren de laatste jaren het onderhoud en de verhuur van het huisje regelden.

Ilka wijst naar het huisje. 'Verhuren jullie het?' vraagt ze.

Tass trekt een vragende blik. Hij haalt zijn schouders op. '*Nem érlem,*' zegt hij. 'Niet begraip.'

Ilka probeert het opnieuw. 'Jullie, voor Laszlo?' zegt ze. Ze wijst weer naar het huisje en maakt dezelfde beweging met haar vingers als Tass net deed.

'Ja,' zegt Tass meteen, die het nu kennelijk begrijpt. 'Wai doen.'

Even zijn ze stil, allebei om woorden verlegen.

'Hoe oud ben jij?' vraagt Ilka dan.

Ze ziet hem in gedachten tellen. 'Drie-tien,' zegt hij dan langzaam. '*You?*'

'Elf,' antwoordt Ilka. 'En een half,' voegt ze er snel aan toe.

Tass knikt. Zijn bruine ogen kijken onderzoekend in de hare. Ilka ziet dat zijn wimpers zo lang zijn dat ze bijna zijn lage wenkbrauwen raken.

Ze slaat haar ogen neer en bloost.

'Alles goed?' klinkt Simones stem vanuit de verte.

Snel draait Ilka zich om. Haar moeder staat op het pad naast de boerderij en zwaait naar Ilka. 'Alles goed?' herhaalt Simone haar vraag.

Ilka knikt. 'Ja!' roept ze. Hoewel ze eigenlijk helemaal niet zo zeker weet of dat zo is... Ze staat hier met een wildvreemde jongen, met wie ze maar een paar woorden kan wisselen en die haar verlegen maakt: kun je zoiets goed noemen?

'*See Álom?*' hoort ze Tass achter zich vragen.

Ze draait zich weer naar hem terug en trekt haar voorhoofd in een vragende frons. 'Álom?'

Tass gebaart enthousiast in de richting van zijn huis. 'Kom,' zegt hij. 'Álom mooi, lief.'

'Je broertje?' probeert Ilka.

Tass grinnikt. 'Ja,' zegt hij. 'Broer.'

6

Het liefst was ze 'm meteen gesmeerd.

Álom was zijn broer helemaal niet. En ook niet zijn hond of kat of hamster.

Ogen dicht, had Tass gezegd, toen ze nog een eind van zijn huis vandaan waren. Eerst had ze dat niet gewild. Je gaat toch zeker niet je ogen dichtdoen bij een jongen die je nog maar net hebt leren kennen? Maar een goedlachse vrouw met twee vrolijke vlechten in haar roodbruine haar stond in de tuin naast het huis de was op te hangen. Ze was gekleed in een hippe spijkerbroek en een wit shirtje. Vast Tass' moeder, dacht Ilka. De vrouw had haar hand naar Ilka opgestoken. '*Szia*!' riep ze, Hongaars voor 'hallo'.

Ilka had teruggezwaaid en had toen besloten op Tass te vertrouwen en haar ogen dicht te doen. Tass pakte haar bij de hand en leidde haar ergens naartoe. Voor haar gevoel duurde het eeuwen. Eigenlijk had ze stiekem haar ogen op een kiertje willen doen, maar dat vond ze een beetje kinderachtig. Ze was toch geen vier meer?

Na een poosje stonden ze stil en Tass tilde haar hand omhoog. Iets warms raakte haar huid. Geschrokken deed ze haar ogen open en sprong met een gil achteruit.

Tien minuten later stond ze nog steeds op een veilige afstand, een paar meter van het hek vandaan. Tass had Álom aan een touw vastgezet en een roskam gepakt. Met stevige ronddraaiende bewegingen masseerde hij Áloms glanzende zwarte vacht.

Tass keek naar Ilka. 'Kom,' zei hij. 'Álom oké, *good horse.*'

Maar Ilka durfde niet.

Nog niet...

'Kijk hem eens rijden,' zegt Oszkar die middag. 'Een echte Hongaarse ruiter.' Er klinkt bewondering in zijn stem.

Álom draaft over de uitgestrekte grasvlakte achter de huizen. Zonder cap, zonder zweep en zonder zadel zit Tass op zijn rug.

'Jeetje,' zegt Simone. 'Alsof hij altijd al op een paard heeft gezeten.'

'Dat is wat ze wel eens over Hongaren beweren,' zegt Oszkar, 'dat ze in het zadel worden geboren.' Hij lacht. 'Maar dat is natuurlijk net zo idioot als beweren dat alle Nederlanders worden geboren met klompen aan hun voeten.'

'Liever met klompen aan mijn voeten dan op een paard,' zegt Ilka. Ze huivert.

Toch voelt ze zich bijna jaloers als ze naar Tass kijkt, die één lijkt met de galopperende Álom. Kim zou allang op de rug van dat paard zijn gesprongen, denkt Ilka. Ze zucht. Zij zal dat vast nooit durven...

7

De volgende dag, na een kort bezoekje aan de notaris in het naburige stadje, besluiten ze naar het dichtstbijzijnde zwembad te gaan, zo'n vijftig kilometer verderop. Hoe Ilka zich daar ook op heeft verheugd, nu vindt ze het bijna jammer om de hele dag weg te zijn. Ze kan het beeld van Tass en zijn paard maar niet uit haar hoofd krijgen. Wat hadden ze er vrij en gelukkig uitgezien, samen...

Als ze na anderhalf uur rijden het zwembad eindelijk hebben gevonden, willen ze bijna meteen weer rechtsomkeert maken – zelfs Ilka. Het is er zo druk dat er bijna geen vrij plekje meer is om hun handdoeken neer te leggen, en de waterglijbanen zijn zo populair dat het eeuwen duurt voordat ze aan de beurt zijn. En dat voor drie seconden lol! Ilka wordt er al snel chagrijnig van. Haar ouders niet minder. Na een uurtje hebben ze het wel gezien. Zelfs Ilka kan niet wachten tot ze weer aangekleed en wel in de auto zit.

'Morgen gaan we toch wel weer?' zegt Oszkar zogenaamd verlangend, nadat hij achter het stuur is gekropen.

'Ja, maar dan hoop ik wel dat het wat drukker is dan vandaag,' vult Simone hem droogjes aan. 'Met zo weinig mensen vind ik er geen bal aan.'

'Dan gaan jullie maar lekker alleen,' doet Ilka aan het spelletje mee. 'Ik blijf thuis. Ik ga lekker paardrijden.' Ze heeft het eruit geflapt voordat ze het in de gaten heeft.

Met een verbaasde blik draait Oszkar zijn hoofd naar haar toe. 'Wat zei je nou?'

Ilka wordt rood. 'Niks,' zegt ze snel. 'Grapje natuurlijk.'

Met een vertwijfelde blik laat ze zich terugzakken in het pluche van de achterbank. Wat heeft ze nóú weer gezegd?

Als ze aan het eind van de middag terugkomen in de stilte en de verlatenheid van de Hongaarse poesta, staat tot Ilka's grote verrassing Tass haar op het erf op te wachten. Hij steekt zijn hand naar haar uit. 'Kom,' zegt hij. 'Laten zien iets.'

Ilka moet lachen om zijn grappige taalgebruik. Vanmorgen hebben ze Tass' moeder even gesproken – de vrouw met de vrolijke vlechten in haar haar – die een beetje Engels bleek te spreken en ook een paar woorden Nederlands. Ze vertelde dat ze een halfjaar een Nederlands meisje in huis hadden gehad, Inge. Zij had een trektocht door Europa gemaakt en was in Hongarije blijven hangen, omdat ze gek was van paarden. Inge was nu weer terug in Nederland en studeerde diergeneeskunde. 'Inge goed,' had de moeder van Tass gezegd en toen, lachend: 'Stad niet goed. Geen paard in stad.'

Nu Ilka tegenover Tass staat op het erf van oom Laszlo – een oom die tot voor kort een grote onbekende was geweest – gaan haar gedachten naar de stad en naar de drukte daar. Wat is het daarbij vergeleken hier dan stil... Dat ze toch niet gillend wil wegrennen, is haar een raadsel. Zíj op het platteland, waar niks te doen is, en dan ook nog eens met buren die paarden houden? Waarom wil ze niet elke dag naar dat zwembad, ook al is het er druk? Waarom wil ze ondanks alles liever hier blijven?

'Hé.' Tass maakt haar los uit haar overpeinzingen.

Wazig kijkt Ilka hem aan. 'Hmm?'

'Hij vroeg of je met hem mee wilde, dove,' zegt Oszkar grinnikend, terwijl hij met een tas met boodschappen langs hen loopt.

'Ja, zíén iets,' beklemtoont Tass.

'Dat zei je gisteren ook, en toen stond er ineens een levensgroot paard in mijn nek te hijgen,' protesteert Ilka.

Tass trekt een nadenkende blik. 'Pff, moeilijk begraip...' zegt hij dan. Hij kijkt omhoog, zoekend naar woorden. Met een zucht haalt hij zijn schouders op. 'Weet niet,' zegt hij dan. 'Kom. Is leuk. Echt.'

'Ga nou maar,' zegt Simone, terwijl ze de achterbak van de auto dichtklapt. 'Hij bijt niet.'

Nee, maar zijn paarden misschien wel, denkt Ilka. Gisterochtend, toen er zo onverwacht een paardenneus aan haar hand had gesnuffeld, had ze gezien dat de omgeving van de boerderij niet bepaald paardenvrij was. In het grote weiland achter Tass' huis staan er zelfs een stuk of zes. Gelukkig is het weiland omheind door een houten hek, zodat ze niet in de buurt van Laszlo's boerderij kunnen komen. Ze moet er niet aan denken – als dat zou gebeuren, zou ze onmiddellijk naar een hotel verhuizen. Of een vliegtuig pakken terug naar huis.

Hoewel, als ze heel, heel eerlijk is, is dat ook niet helemaal waar. Sinds ze Tass op de rug van Álom over de grasvlakte achter het weiland heeft zien razen, is er iets vreemds met Ilka gebeurd. Zo liefdevol als Tass met zijn paard omging... Als ze nu aan paarden denkt, gaat haar hart niet meer meteen in de versnelling. Zelfs als ze ze in de verte ziet, gebeurt dat niet. En nu ze met Tass mee-loopt, lijkt het wel of haar voeten dat vanzelf doen, alsof ze er geen controle over heeft...

Voor het hek blijven ze staan, Ilka op een veilige afstand, een paar meter ervandaan.

Tass klakt met zijn tong. Een van de paarden, een glan-zende bruine merrie, komt rustig op hen af lopen.

Ilka deinst nog verder terug, haar adem stokt. Van zo dichtbij is een paard wel erg groot...

Tass streelt de neus van de merrie. 'Kaik, haren, lang,' zegt hij. Half in het Nederlands en half in het Engels weet hij haar uit te leggen dat een paard rond zijn neus en mond lange haren heeft, waarmee hij voelt voordat hij iets aanraakt. Eerst voelt een paard bijvoorbeeld de grond, legt Tass uit, en dan pas eet hij het gras.

De merrie maakt een snuffelend geluid. Dan steekt ze haar hoofd verder over het hek heen en begint brutaal aan de broekriem van Tass te knabbelen.

'Hé, gras, niet riem!' zegt Tass lacherig. Het paard trekt zich er niks van aan en knabbelt rustig door.

Tass zet een stap opzij en draait zich naar Ilka om. '*Now you*,' zegt hij.

Met een angstig gezicht schudt Ilka haar hoofd. Mooi dat ze zich niet door een paard laat likken! Ze is al blij dat ze zo dichtbij durft te staan zonder gillend weg te rennen.

Maar Tass houdt vol. 'Kom,' zegt hij. Hij steekt zijn hand naar haar uit.

Ook nu lijkt het alsof haar voeten vanzelf in beweging

komen. Aarzelend komt Ilka dichterbij. Tass pakt haar hand en tilt die op tot vlak onder de neus van het paard, dat er nieuwsgierig aan snuffelt. Ilka houdt haar adem in.

Dan laat Tass Ilka's hand weer zakken. '*See?*' zegt hij. '*Easy.*'

Benauwd kijkt Ilka van Tass naar het paard en terug. Ze aarzelt. *See? Easy...* Zijn woorden galmen na in haar hoofd.

Langzaam doet ze haar hand omhoog en strijkt met haar vingers over de zachte paardenneus.

'Goed!' zegt Tass trots.

Ilka wordt er verlegen van.

'Oké,' hoort ze Tass zeggen, terwijl hij de wang van het paard aait. 'Nu zo.'

Voorzichtig laat Ilka haar vingers langs de wangen van het paard glijden. Maar als de merrie ook maar eventjes haar hoofd beweegt, weet ze niet hoe snel ze haar hand weer terug moet trekken.

Terwijl Tass blijft aaien, fluistert hij de merrie iets toe in het Hongaars. Het paard maakt een langzame kauwbeweging en blijft rustig staan, alleen haar staart zwiept eventjes heen en weer om een paar vliegen te verjagen.

De ogen van Ilka en het paard ontmoeten elkaar. 'Kom nou maar,' lijkt de merrie met haar blik te zeggen. Ilka haalt diep adem. De merrie likt haar lippen en maakt een kauwbeweging.

Aarzelend legt Ilka haar hand op de wang van het dier. En dan haar andere hand op de andere wang. Voorzichtig strijkt ze naar beneden en naar voren, precies zoals ze Tass zo-even zag doen. De merrie kijkt haar aan en knippert langzaam met haar ogen. Er klinkt een ontspannen zucht. Ilka voelt elk haartje op haar huid overeind komen.

'Goed,' fluistert Tass. 'Heel goed.'

Ze gaat door met aaien. De huid van de merrie is zacht en warm. Ilka voelt tranen achter haar ogen prikken. Waarom begrijpt ze niet.

Opeens begint de merrie wild met haar staart te zwiepen, een zwerm vliegen schiet alle kanten op. Met een gil deinst Ilka terug en kruist haar armen voor haar borst. Haar hart bonkt in haar keel.

Tass schiet in een bulderende lach. 'Drága niks doen!'

'Ze bewoog!' roept Ilka. Dan begint ze nerveus te giechelen. 'Een bewegend paard, brrr, eng, ha, ha!'

Intussen staat de merrie weer ontspannen op haar plek, haar blik op Ilka gericht.

Als Ilka terugkijkt, lijkt het of hun ogen even met elkaar versmelten. Een zucht ontsnapt uit Ilka's keel.

De merrie zet een stapje in haar richting.

Ilka voelt haar spieren aanspannen. Niks aan de hand, spreekt ze zichzelf in gedachten toe. Niks aan de hand, er staat een hek...

Met een verwonderde glimlach kijkt Tass van de een naar de ander. 'Zai jou lief,' zegt hij.

Tass' woorden haken zich vast in Ilka's hoofd.

Zij jou lief...

De merrie wil nog een been naar voren zetten, maar ze kan niet verder. Ze steekt haar hoofd over het hek. Als een uitnodiging. Een uitnodiging tot nog een aai, of een hand op haar wang.

Tass klopt het dier liefdevol op haar hals en strijkt over

de manen. '*Drága*,' zegt hij, waarbij hij ook nu de 'g' uit-spreekt als een zachte 'k'.

'Heet ze zo?' vraagt Ilka.

Tass knikt. 'En drága is ook lief.'

Ilka denkt even na. 'Betekent drága "lief"?' concludeert ze.

De donkere ogen van Tass beginnen te glanzen. 'Ja, lief.'

Ilka haalt diep adem, komt behoedzaam dichterbij en legt dan, een voor een, haar handen op de wangen van de merrie. Die houdt haar hoofd iets scheef – laat het als het ware even in Ilka's hand rusten – en zucht.

Een rilling trekt langs Ilka's ruggengraat. Niet van angst dit keer, maar van ontroering.

'Wow,' zegt Tass. '*You horse girl...*'

8

Met Ilka een beetje voorovergebogen op haar rug, draaft Drága over de uitgestrekte poesta. Ilka's bruine haardos wappert in de wind. Ze voelt zich vrij, zo vrij... Dan doemt ineens een hek op, een heel hoog hek. Help, ze heeft nog nooit gesprongen! Ilka's hart gaat tekeer, ze wil stoppen, maar Drága draaft door, alsof er geen hekken bestaan. Zij zet haar sprong in en strekt haar voorbenen in de lucht. Ilka helt achterover en probeert zichzelf met al haar spierkracht in het zadel te houden. Het lukt niet. Ze valt...

Met een schok schrikt Ilka wakker, zweet druppelt van haar voorhoofd. Ze komt overeind, legt haar handen over haar gezicht en ademt diep in en uit. Langzaam voelt ze zich rustiger worden.

Ze denkt terug aan de afgelopen dagen, waarin ze bijna al haar tijd met Tass heeft doorgebracht. En met zijn twee lievelingspaarden, Álom en Drága.

Tot haar grote verbazing is Ilka nu al veel minder bang dan eerst. Ze heeft Tass zelfs al een keer geholpen om Drága te poetsen.

In het begin streek ze de kleine paardenhaartjes die op haar kleren bleven kleven steeds van zich af, maar daar hield ze al snel mee op. Als je dááraan begon, kon je wel aan de gang blijven, want Drága was behoorlijk in de rui. Daarbij moest Tass erg lachen om wat ze deed. 'Jai bang voor viesj?' zei hij.

Ilka heeft hem nog nooit iets anders zien dragen dan een oude spijkerbroek (lang of tot korte broek afgeknipt), een slobberig T-shirt en versleten gympen of afgetrapte sandalen. Bij Tass thuis zijn ze niet arm, dat kan ze zien aan hoe het er vanbinnen uitziet. Ze hebben zelfs een superdeluxe computer staan. Maar kleren kunnen hem kennelijk niks schelen. Dat is maar goed ook als je met paarden werkt, was Ilka's conclusie. Je wordt er alleen maar vies van.

Ilka kijkt op de digitale wekker naast haar bed: bijna zeven uur. Haar hart slaat over. Nog even, dan gaat het gebeuren...

'En wanneer ga je nou eens rijden?' had Oszkar gisteren gevraagd.

'Morgen,' antwoordde Ilka zonder na te denken. Ze schrok van haar eigen antwoord. Rijden, zíj? Maar Oszkar was bij het idee alleen al zo blij als een kind. Bij hem waren ze de paardrijgenen vergeten in te bouwen, zei hij. Wat hem betreft mocht zijn dochter de Hongaarse paardrijfakkel overnemen.

Ilka strijkt haar haren uit haar gezicht en ademt diep in en uit. Nu ze net zo'n angstaanjagende droom heeft gehad, weet ze ineens niet meer zo zeker of ze die fakkel wel wíl overnemen. De gedachte alleen al doet haar keel dichtknijpen...

Er ligt geen zadel op Drága's rug, maar een opgevouwen deken. Tass heeft een singel om Drága's buik gebonden met twee handvatten bovenop, waaraan Ilka zich vast kan houden. Geen teugels nog, zei Tass, eerst hiermee wennen.

Ilka wilde beslist niet dat haar ouders kwamen kijken. 'Eerst oefenen,' had ze gezegd. 'Als ik het een beetje kan, mogen jullie het pas zien.'

Oszkar en Simone hadden toen maar besloten het vervolgbezoek aan de notaris met een tochtje te combineren. 'Anders kan ik het niet laten en ga ik stiekem tóch kijken,' zei Oszkar.' 'Bel je als er iets is?' Maar Ilka zou haar mobieltje vast niet nodig hebben, had ze gezegd.

Nu ze zo hoog op Drága's rug zit, weet ze dat ineens niet meer zo zeker... Ze voelt zich stikzenuwachtig. Niet alleen de droom van vannacht zit haar nog dwars, ook moet ze denken aan vier jaar geleden, toen ze met doodsangst op de rug van die kleine shetlander zat. Het lijkt of dat zevenjarige meisje van toen haar angst weer in alle hevigheid laat zien.

'*You okay?*' vraagt Tass, die de benauwde blik op Ilka's gezicht kennelijk heeft opgemerkt.

Ze weet een flauw glimlachje tevoorschijn te toveren. 'Pas maar op. Straks haal ik je nog in als we samen over de poesta galopperen,' zegt ze. Maar diep in haar hart is ze al lang blij dat ze überhaupt op een paard durft te zitten dat nog niet eens één stap heeft gezet.

Tass kijkt haar niet-begrijpend aan.

'*Yes, okay*,' zegt Ilka dan.

Voorzichtig laat Tass Drága in beweging komen. Aan een lang touw laat hij de merrie in grote cirkels om hem heen lopen.

Ilka houdt haar adem in, haar handen stevig om de handvatten geklemd.

Tass schiet in de lach. 'Relax,' zegt hij. '*Is better.*' Hij wijst naar het hoofd van de merrie dat een stukje omhoog komt.

Ilka begrijpt niet wat hij bedoelt.

'*Look*,' zegt hij. Hij ademt hoorbaar en diep in en uit. '*Not only in*,' zegt hij. 'Ook, pffff, *out*.'

Ilka schiet in de lach. Haar schouders ontspannen. Op dat moment laat Drága haar hoofd weer ontspannen zakken.

'Goed!' zegt Tass. '*You* relax, Drága relax.'

Stomverbaasd kijkt Ilka naar het hoofd van de merrie, dat naar beneden gaat als Ilka rustig in- en uitademt, maar meteen omhoog komt als Ilka haar adem inhoudt en haar spieren onnodig aanspant.

'Paard voelen jai,' zegt Tass trots, alsof hij zelf ooit een paard is geweest en precies weet hoe dat is.

Met een verwonderde blik kijkt Ilka hem aan. Bedoelt hij daarmee dat Drága kan voelen hoe zíj zich voelt? Zoiets heeft ze Kim nog nooit horen zeggen. Of heeft ze nooit goed genoeg naar de paardenverhalen van haar vriendin geluisterd?

Meeverend met Drága's bewegingen overvalt haar ineens een gevoel van trots. Kijk mij nou zitten, denkt ze. Ik, op een paard! Ze begint ervan te giechelen en slaakt dan een diepe zucht.

Drága's hoofd gaat opnieuw omlaag.

Tass kijkt stralend naar haar op. 'Zie? Makkie,' zegt hij.

Ilka barst in lachen uit. Makkie, dat woord heeft hij vast van Inge geleerd.

'En nu *like this*,' zegt Tass na een poosje. Hij doet voor wat ze moet doen.

Voorzichtig laat Ilka haar rechterarm zo ontspannen mogelijk langs haar lichaam hangen. Een paar minuten later durft ze ook haar andere hand los te laten. Met ontspannen schouders en armen laat ze zich dragen op Drága's rug.

'Cool!' roept Tass.

Vanaf een afstandje kijkt Olga, de moeder van Tass, toe. Met een glimlach om haar mond.

's Avonds staat Ilka al stijf van de spierpijn. Ze heeft wel twee uur op Drága's rug gezeten, eigenlijk veel te lang voor een beginner. Toen ze eenmaal de smaak te pakken had en haar eerste angst had overwonnen, was ze niet meer van Drága's rug te sláán. Ze kan niet wachten tot morgen. Ook kan ze niet wachten om dit allemaal aan Kim te vertellen, aan wie ze net een sms'je heeft gestuurd:

JE RAADT NOOIT WAT IK HIER ALLEMAAL MEEMAAK! JA, WEES MAAR LEKKER NIEUWSGIERIG! IK VERTEL HET JE THUIS PAS. MIS JE!! X ILKA

Even later piept Ilka's mobiel.

GEMEEN! IK WIL HET WETEN! IETS MET PAARDEN, OF WORD JE NU BOOS?

IS ER EEN TROPISCH ZWEMPARADIJS? HEB JE EEN VRIEND-JE? LAG ER EEN GEHEIME SCHAT IN DE BOERDERIJ VAN DIE ONBEKENDE, SPANNENDE OOM? MIS JOU OOK, X KIM

Je moest eens weten wat voor schat er in de boerderij van die zogenaamd spannende oom lag, denkt Ilka grinnikend. Het paardrijvirus...

9

De volgende dag wordt Ilka wakker van het geluid van striemende regen tegen haar slaapkamerraam. Shit, denkt ze meteen, nu gaat het paardrijden natuurlijk niet door. Stiekem moet ze om zichzelf lachen. Zíj en het jammer vinden dat paardrijden niet doorgaat, wat een giller.

Een uurtje later staat Tass druipend en wel voor de deur. Ook hij vindt het geen goed idee om vandaag iets met de paarden te doen. De weersverwachtingen beloven niet veel goeds, er is onweer voorspeld en de kans is groot dat het de hele dag blijft gieten.

'Ben ik even blij dat ik niet in een tentje zit,' zegt Simone met een tevreden zucht. 'Ik ga vandaag lekker de hele dag lezen.'

'Ik doe met je mee,' zegt Oszkar. 'Natuurlijk wel met een ander boek,' grapt hij erachteraan.

Ilka schiet in de lach. In gedachten ziet ze haar ouders gezamenlijk naar dezelfde pagina turen. Simone leest veel sneller dan Oszkar, dat zou binnen de kortste keren eindigen in ruzie.

Simone kijkt beurtelings van Ilka naar Tass. 'En jullie?' wil ze weten.

'Wij gaan de boerderij onveilig maken,' besluit Ilka, nog voordat Tass iets kan zeggen.

Oszkar steekt zijn hand op. 'Doe de kakkerlakken de groeten van me.'

Kakkerlakken komen ze niet tegen. Wel twee muizen die meteen in een gaatje onder in de muur verdwijnen, nog voordat Ilka en Tass de deur achter zich hebben dichtgetrokken.

'Ben jij hier wel eens geweest?' vraagt Ilka.

Tass laat haar woorden even op zich inwerken en schudt dan zijn hoofd. 'Laszlo alleen wil.'

Dan kijkt hij haar met een ondeugende blik in zijn ogen aan. 'Maar toen Laszlo dood, en weg, *I looked, in secret...*'

Ilka vindt het knap dat Tass nog zoveel Nederlands kent. Inge heeft maar een halfjaar bij hen gewoond. Tass heeft gevoel voor talen, heeft Olga uitgelegd. De laatste paar jaar heeft hij elke gelegenheid aangegrepen om in contact te komen met mensen die het gastenhuisje huurden. Daar hebben al vaker Nederlanders tussen gezeten. Vorige maand zijn er nog Nederlandse gasten geweest. Maar toen overleed Laszlo en heeft Olga de nieuwe gasten die nog zouden komen, in een huisje in de buurt weten onder te brengen. De laatste jaren heeft Olga de verhuur van het gastenhuisje voor haar rekening genomen, Laszlo was er te oud voor geworden.

Het verbaasde Oszkar steeds meer hoe weinig hij eigenlijk wist van zijn familie. Laszlo was een zonderlinge man, vertelde Olga, een kluizenaar. Olga kookte wel eens voor hem, maar ze moest het eten dan wel komen brengen, want hij kwam niet graag bij andere mensen over de vloer. In ieder geval niet meer de laatste jaren.

'Uren in skommelsjtoel, onder appelboom,' zei Olga. Zij heeft hier zelf niet altijd gewoond, ze komt uit een andere streek. Eigenlijk kent ze Laszlo's geschiedenis helemaal niet. Ze heeft hem er ook nooit naar gevraagd – hij was niet zo'n prater.

Nu Ilka in de boerderij staat van deze zonderlinge man, overvalt haar ineens een verdrietig gevoel. Ze rilt. Helemaal alleen, in dit grote, oude huis: ze moet er niet aan denken.

Als ze de woonkamer binnenkomt, stapt ze als vanzelf op de oude buffetkast af en gaat er op haar knieën voor zitten. Een voor een opent ze de deurtjes. De muffe geur van oud papier vult haar neusgaten. Ze trekt een oud fotoalbum tussen de ongeordende stapels paperassen vandaan, veegt het stof eraf en slaat het open. Verstijfd blijft ze zitten en staart met grote ogen naar de foto op de eerste bladzijde. Een meisje met donkerbruin haar, in amazonezit op een zwart paard, kijkt haar aan.

'*What?*' roept Tass verbaasd uit. '*You?*'

Ze zijn met stomheid geslagen: als de vergeelde foto niet overduidelijk heel oud was, zou je zweren dat het Ilka was die je vanaf haar paard aankeek.

Ze bladeren verder. Alleen maar foto's van het meisje op haar paard. Stapvoets, dravend, in galop. In een lange jurk. In een broek. In zomerkleren. In winterkleren. Met hoed. Zonder hoed. Tussen de bomen. In het open veld.

En allemaal zonder cap. Die hadden ze vroeger niet, legt Tass uit. Net zoals je vroeger geen veiligheidsgordels had in een auto, of zonder helm motor reed.

Ilka denkt aan de fietsers in de stad die ze ook steeds vaker een helm ziet dragen. 'Het moet niet gekker worden,' had Oszkar laatst nog geroepen. 'Straks moet je een helm op als je de deur uitgaat voor een simpel wandelingetje – je zou immers wel eens van de stoep kunnen vallen.'

Ilka had gisteren ook geen cap op, simpelweg omdat die er niet wás. Tass had de gevaren die Oszkar en Simone hadden opgesomd, vrolijk weggewuifd. *Csikós*, Hongaarse cowboys, dragen ook geen cap, zei hij. 'Zai niks, of hoed,' had Tass gezegd. 'Maar Ilka is geen csikó,' had Oszkar geprotesteerd. 'Als ze ervanaf valt, wat dan?' Tass had hem met een verwonderde blik aangekeken. 'Ilka niet vallen, Drága aan touw, *slowly, safe,* ik weet.'

Maar 's middags waren haar ouders van hun ritje teruggekomen met een cap. Ze hadden zich er rot naar gezocht, maar uiteindelijk hadden ze in een of ander stoffig winkeltje een tweedehands cap op de kop getikt die Ilka nog paste ook. 'Voor de zekerheid,' zei Oszkar. 'Superman is ook van zijn paard gelazerd en zat daarna de rest van zijn leven in een rolstoel.'

'De acteur die Superman spéélde, bedoel je,' had Ilka hem eigenwijs verbeterd. 'Superman zélf valt niet van zijn paard. En Zorro ook niet.'

Ze slaat de laatste pagina van het fotoalbum om. Opnieuw stokt haar adem. Het meisje dat zo op haar lijkt, kijkt haar vanaf een portretfoto aan. Ondanks het feit dat het een zwart-witfoto is en het meisje wat ouder is dan zij, kan Ilka zien dat ze precies dezelfde ogen hebben: van een ongewoon en bijna doorschijnend lichtgroen.

Ook Tass staart met een ongelovige blik naar de foto. 'Ogen, *you...* stamelt hij.

Zwijgend kijken ze elkaar aan. Hier moeten ze meer van weten.

Even later bladeren Oszkar en Simone met open mond door het oude fotoalbum.

'Ongelofelijk...' mompelt Oszkar.

'Het lijkt wel je identieke tweelingzusje,' zegt Simone. 'Maar ja, dat kan niet, want als er één van haar bestaan zou moeten weten, ben ik het.' Ze kijkt Oszkar aan. 'Dus wie is dit?'

Oszkar haalt vertwijfeld zijn schouders op.

Even is het stil, iedereen verzonken in zijn eigen gedachten.

'Laszlo zus?' oppert Tass dan.

Verrast kijkt Oszkar hem aan. 'Zijn zús? Maar dat moet dan ook de zus van mijn vader geweest zijn. En mijn vader had geen zus. Tenminste, niet dat ik weet.' Hij eindigt zijn zin in een gefrustreerde zucht. 'Dat krijg je ervan als je je nooit hebt verdiept in je familiegeschiedenis. Dan zijn er meer vragen dan antwoorden.' Hij staat resoluut op en loopt naar de deur. 'Gaan jullie mee?'

'Waarnaartoe?' vragen Simone en Ilka tegelijkertijd.

'Naar Olga,' antwoordt Oszkar. En hij opent de deur.

10

Opgetogen kijkt Ilka om zich heen. Oszkar en Simone staan met trotse gezichten aan de andere kant van het hek, Simone met een camera in haar hand.

Gelukkig kan ik straks een heleboel foto's aan Kim laten zien, denkt Ilka. Ze heeft zich enorm moeten inhouden om niet elke minuut die ze hier doorbracht via sms aan haar vriendin door te briefen, maar het is haar tot nu toe gelukt om niets van haar paardrijavonturen prijs te geven.

Om niks te vergeten heeft Ilka een paardenschrift gemaakt, waarin ze alles heeft opgeschreven wat ze de afgelopen week van Tass heeft geleerd. Het eerste wat ze opschreef, vooral omdat ze dat met Álom en Drága zelf had ondervonden, was het volgende:

Tip 1:
Mensen stappen vaak meteen op een onbekend paard af om het te aaien. Maar met een paard moet je rustig kennismaken. Een paard wil eerst kijken en ruiken. Wacht tot het paard het tijd vindt om jou aan te raken en niet andersom.

Vanmorgen heeft ze er twee nieuwe dingen bij geschreven:

Tip 2:
Paarden zijn planteneters. Ze zijn niet alleen dol op gras en haver en hooi, maar soms zijn ze ook dol op paardenbloemen. Misschien heten die bloemen daarom wel zo!

Tip 3:
Loop voor je paard uit, ga duidelijk ergens heen. Jij bepaalt de richting, het paard wil volgen.

Dat laatste had Ilka in het begin knap moeilijk gevonden. Als ze Drága aan een touw leidde, haalde het dier haar steeds in en ging dan aan haar schouder knabbelen. Dat was wel heel schattig, zei Tass, maar niet hoe het moet. Jij bent de baas, legde hij uit, en als je dat goed doet, vindt een paard dat juist leuk. Een paard wil dingen graag goed doen, maar jij moet dan wel een goede leider zijn. Maar nóóit met straf of een zweep, had hij er met klem aan toegevoegd: 'Straf fout.'

Ook al was het voor Ilka natuurlijk nog hartstikke moeilijk om een leider te zijn – ze was hier nog maar net! – ze vond het al een wonder dat ze zomaar met een paard aan een touw durfde rond te lopen. Zíj, met een paard, en niet eens met een hek ertussen!

Nu, vanaf haar hoge zetel op Drága's rug, kijkt ze naar Tass, die een stukje bij haar vandaan staat, het touw in zijn handen.

'*You okay?*' vraagt hij.

Terwijl Drága stapvoets in grote cirkels om Tass heenloopt, lacht Ilka hem stralend toe. Ze voelt zich meer dan oké. Ze voelt zich on-ge-lo-fe-lijk oké.

'*Faster*?' vraagt Tass vanaf de grond.

Ilka's gedachten gaan naar het meisje uit het fotoalbum. Het meisje dat zoveel op haar lijkt. Ilka knikt, met bonzend hart. '*Faster*,' zegt ze beslist.

Tass klakt zachtjes met zijn tong.

En Drága versnelt haar pas.

11

Vanavond zijn Ilka en haar ouders bij Olga en Tass uitgenodigd om daar te komen eten. 'Ekte goulash,' had Olga gezegd. 'En een verrassing,' had ze eraan toegevoegd.

Een verrassing... Ilka vraagt zich af of het iets te maken heeft met het fotoboek. Toen ze het een paar dagen geleden aan Olga hadden laten zien, had zij met evenveel verbazing naar het meisje op de foto's gekeken als zij zelf hadden gedaan. Ze zou haar uiterste best doen om hier meer over te weten te komen, zei ze.

Misschien weet ze al iets, denkt Ilka, terwijl ze aanklopt bij de achterdeur van Olga's huis.

Als ze binnenkomt, kijkt een oude vrouw vanachter de keukentafel glimlachend op. Maar als haar ogen die van Ilka kruisen, verstart haar gezicht. Bevend grijpt ze zich aan de keukentafel vast. Dan slaat ze haar handen voor haar mond en springen de tranen in haar ogen. Ze mompelt iets in het Hongaars en staat op. Met wankele pas loopt ze op Ilka af en slaat haar armen om haar heen. 'Ilka, Ilka, Ilka, fluistert ze, terwijl de tranen over haar wangen stromen. Ze pakt Ilka bij haar handen en kijkt haar aan. '*Úgu hiányoztál*,' fluistert ze. '*Úgu hiányoztál...*'

Onthutst kijkt Ilka de vrouw aan. Ze weet niet wat ze moet zeggen.

Ook Oszkar en Simone staan er met een verbaasd gezicht bij.

Olga maakt een uitnodigend gebaar naar de keukentafel. 'Kom, zit,' zegt ze. Haar stem klinkt ontroerd. Ze wijst naar de oude vrouw. 'Anasztazia vroeger kennen Laszlo. Anasztazia verhaal...'

Later die avond, terwijl het onweer in de verte rommelt, pakt Ilka haar paardenschrift van haar nachtkastje. Ze zet haar hoofdkussen in haar rug, gaat goed rechtop in haar bed zitten en zet haar pen op een lege bladzijde. Dan begint ze te schrijven.

Dit stukje gaat een beetje over paarden, maar vooral over mijn familie. Omdat ik dit verhaal de rest van mijn leven goed wil onthouden en ik het ook goed aan Kim wil kunnen vertellen, schrijf ik het op. Want het is een verhaal waar je even over na moet denken. Als ik het niet opschrijf, raak ik later misschien in de war...

Er waren eens twee broers, Laszlo en János. Ze woonden in Hongarije. Ze waren zo verschillend dat ze het niet zo heel goed met elkaar konden vinden. Ze gingen allebei een beetje hun eigen weg.

Later werden ze allebei verliefd en trouwden ze.

Laszlo met Eszter.

János met Rozsa.

János en Rozsa vonden het niet leuk in Hongarije, omdat ze heel arm waren en omdat Hongarije zo'n streng land was, dat je niks zelf mocht weten. Ze vluchtten weg en

*gingen naar Nederland. Daar waren ze eerst ook arm,
maar in Nederland mocht je veel meer en ze vonden het
daar veel fijner. Ze kregen één zoon, Oszkar.*

Oszkar trouwde met Simone en samen kregen ze mij.

*János en Rozsa waren dus mijn opa en oma. Ik zeg ex-
pres waren, want ik heb ze nooit gekend. Ze waren allang
dood voordat ik er was. Opa en oma hebben nooit veel
verteld over hun vroegere leven in Hongarije. Alsof dat
voor hen niet meer bestond. Alsof ze, toen ze naar Nederland kwamen, opnieuw geboren waren en niet meer her-
innerd wilden worden aan een vroeger leven (dit stukje
van het verhaal heb ik van papa, want Anasztazia kon dat
natuurlijk niet weten).*

*Laszlo en Eszter bleven in Hongarije, omdat Eszter haar
familie anders te veel zou missen. Een paar jaar later
gebeurde er iets verschrikkelijks: ze kregen een baby'tje
maar toen het baby'tje werd geboren, ging Eszter
dood...*

*Laszlo was toen alleen met zijn dochtertje, dat hij Ilka
noemde. Ilka betekent 'fakkel' en Laszlo vond dat een
mooie naam, omdat ze de fakkel van het leven overnam
van haar moeder. Ilka was een echt paardenmeisje.
Laszlo had paarden en als klein meisje leerde Ilka al rijden. Op haar zestiende mocht ze al wel eens mee met de
czikós, de Hongaarse cowboys, wat in die tijd voor een
vrouw heel bijzonder was.*

*Maar een paar jaar later werd ze verliefd op een Engelse
fotograaf, en hij op haar. Hij vroeg haar of ze met hem
wilde trouwen. Alleen wilde hij liever niet in Hongarije*

blijven. Ilka was zo verliefd, dat ze haar vader, haar land en haar paarden achterliet en naar Engeland vertrok.

Toen had Laszlo niemand meer. Ja, wel lieve buren, zoals Anasztazia, die toen Ilka klein was veel op haar had gepast. Maar dat was toch iets anders dan zijn vrouw en dochter, van wie Laszlo zoveel hield en die hij zo miste ...

Maar het verhaal wordt nog veel zieliger. Zo erg dat ik bijna moet huilen als ik het opschrijf... Een jaar later was er in Londen een griepepidemie. Ook Ilka werd ziek, zo ziek dat ze doodging... Laszlo heeft haar nooit meer gezien, ze werd begraven in Engeland.

Laszlo was zo verdrietig dat hij niet in het huis wilde blijven wonen waar zijn vrouw was doodgegaan en waar Ilka was opgegroeid. Hij kon niet leven met die herinneringen. Hij verhuisde naar de andere kant van de poesta – naar de boerderij die nu van ons is – en ging daar verder met paarden houden.

Hij was in 1922 geboren en in 2008 ging hij dood. Hij is dus best oud geworden. Olga vertelde dat hij de laatste jaren van zijn leven niet is weggeweest van de boerderij. Een boerderij zonder paarden, daar was hij intussen te oud voor. Als het mooi weer was, zat hij in de rieten schommelstoel onder de appelboom. Starend naar de poesta in de verte...

Met een zucht haalt Ilka haar pen van het papier. Ze leest het stukje nog eens over en haar ogen blijven dan op één zin rusten: *Ilka betekent 'fakkel' en Laszlo vond dat een mooie naam, omdat ze de fakkel van het leven overnam van haar moeder.*

Ineens herinnert Ilka zich dat papa daar iets over had gezegd, dat zij de Hongaarse paardrijfakkel zou overnemen.
Ze slaat haar schrift dicht en krult zich onder haar laken
op. Ze kan niet wachten om Drága morgenochtend weer
te zien...

12

De volgende dag is Ilka heel vroeg wakker. Zes uur, ziet ze op haar wekker. Ze doet haar ogen weer dicht. Al na een paar minuten merkt ze dat het haar niet meer lukt om weer in slaap te vallen. Zachtjes kleedt ze zich aan en loopt op haar tenen naar buiten. De zon is nog maar net op. Nevel hangt laag boven de weilanden.

Even sluit Ilka haar ogen en denkt aan gisteravond. Het afscheid van Anasztazia was ontroerend geweest, ze had Ilka bijna niet kunnen loslaten. Olga had Anasztazia beloofd dat de volgende keer dat Ilka hier was, ze haar zeker weer zou zien.

In gedachten verzonken loopt Ilka naar de paardenwei. Nu ze het verhaal over haar familie en de vroegere Ilka heeft gehoord, lijken haar paardengenen extra te zijn geactiveerd. Ze heeft er nog nooit zo naar verlangd om haar armen om Drága heen te slaan.

De paarden staan achter in de wei rustig te grazen. Ilka opent het hek, stapt de weide in en sluit het hek achter zich. Precies zoals ze het Tass altijd ziet doen en alsof ze het zelf ook al jaren doet.

Vanaf de andere kant van de enorme wei kijkt Drága haar kant uit en ze komt meteen enthousiast op haar af lopen.

'Hé,' zegt Ilka. Ze strekt haar hand uit. 'Ben je daar?'

Even later staat Drága aan haar hand te snuffelen. Ilka aait de merrie over haar neus, slaat dan haar armen om haar hals en geeft er een kus op. 'Mmm,' zegt ze. 'Je bent zó lief...'

Met een tevreden zucht blijft Ilka even zo staan. Dat ze dit ooit zou meemaken, had ze in haar stoutste dromen nog niet kunnen bedenken. Als Kim dit hoort, zullen haar ogen waarschijnlijk uit haar kassen rollen van verbazing.

Ook Álom is intussen nieuwsgierig dichterbij gekomen. Ilka lacht en strijkt hem over zijn manen. 'Ja, jij bent ook lief,' zegt ze.

Een gevoel van trots vervult haar. Dat ze zomaar tussen de paarden in de wei durft te staan – in haar eentje, zonder Tass – kan ze maar nauwelijks geloven.

Als Drága en Álom even later weer bij haar weg lopen om een lekker graasplekje te zoeken, voelt Ilka haar eigen maag rommelen. Hoe heerlijk de goulash die Olga had gemaakt ook was, door alle opwinding had Ilka er niet veel van gegeten.

Ineens heeft ze razende honger. Ze draait zich om en zet haar duim tegen de schuif van het hek. Ze duwt, maar er komt geen beweging in. Ze probeert het nog een keer. Niks. Ze trekt en duwt en sjort, maar er komt geen centimeter beweging in de metalen schuif – alsof hij al jaren niet in gebruik is geweest.

Ineens hoort ze achter zich een zacht briesend geluid. 'Hé, ben je daar weer,' zegt Ilka lachend, terwijl ze zich omdraait.

Dan deinst ze geschrokken terug. Een grote zwarte hengst, een paard waar ze tot nu toe een beetje bij uit de buurt is gebleven omdat hij nogal wild en onstuimig kan zijn, staat ineens levensgroot voor haar neus.

Ilka's adem stokt. Ze draait zich weer om en probeert uit alle macht het hek open te krijgen. Weer lukt het niet.

De zwarte hengst zet een stapje dichterbij.

Met een verwilderde blik kijkt Ilka om zich heen. De angst die ze dacht kwijt te zijn, lijkt in één klap weer bezit van haar te nemen. In paniek zet ze haar handen boven op het hek om eroverheen te klimmen. Maar dan zet het paard nog een stap naar voren en duwt zijn neus zachtjes tegen haar schouder. Als aan de grond genageld blijft Ilka staan, met ingehouden adem.

'Hé,' klinkt ineens de stem van Tass. 'Wat jai hier, zo vroeg?'

Doodsbang kijkt Ilka op. Ze kan geen woord uitbrengen. 'Ik...' piept ze.

Het paard duwt opnieuw zachtjes tegen haar schouder.

'Hai jou lief,' zegt Tass met een grijns, terwijl hij met het grootste gemak de schuif openduwt.

Ilka weet niet hoe snel ze aan de andere kant van het hek moet komen.

Verbaasd kijkt Tass haar aan. 'Jai bang?'

Ilka moet moeite doen om niet in huilen uit te barsten. Van angst. Of van kwaadheid op Tass omdat hij het niet begrijpt. Of van boosheid op zichzelf omdat ze bang is en dat zélf niet begrijpt. Of van alle drie tegelijk...

'Ja, bang, ja!' roept ze met trillende stem. 'Hij stond ineens achter me!'

Tass kijkt naar het paard, dat rustig aan de andere kant van het hek staat, zijn hoofd een beetje naar beneden. Tass aait hem over zijn neus. 'Kijk, relax,' zegt hij. 'Haj niks boos, jou lief.'

Plotseling rollen de tranen over Ilka's wangen. 'Hoe kon ik dat nou weten...' snikt ze.

'Weten nu,' zegt Tass. Hij legt een troostende arm om haar schouders en veegt voorzichtig met zijn duim een traan van haar wang.

Even zwijgt hij. 'Ik jou ook lief...' zegt hij dan.

13

Als je een paard dwingt, wordt het zenuwachtig. Je moet wel een leider zijn voor je paard, maar de baas spelen is ook weer niet goed. Een paard wil het graag sámen met jou doen. Daar wordt een paard blij van.

Donkere wolken pakken zich samen boven zijn hoofd, maar de paardenmenner lijkt evengoed ontspannen op de twee paardenruggen te staan, de leidsels stevig in zijn handen. Keer op keer stormt het span in een razend tempo voorbij. De Hongaarse stuntman neemt bocht na bocht, maar hij blijft overeind. Alsof hij op niet meer dan een stilstaande bok in de gymzaal staat. Maar in werkelijkheid staat hij in spreidstand boven op twee woest galopperende paarden, met één been op de rug van elk paard. Met zijn ene hand ment hij de paarden en met de andere knalt hij zijn meterslange zweep. Vóór hem moet hij nog eens twee keer vier paarden in bedwang zien te houden. Tien paarden in totaal weet hij te mennen, zelf balancerend op de achterste twee. De glanzende, donkerbruine paarden daveren in volle vaart over het terrein en laten grote stofwolken achter zich. Toch blijft de paardenmenner overeind, bocht na bocht, alsof hij nooit anders heeft gedaan.

'En, wanneer ga jij aan zo'n show meedoen?' vraagt

Oszkar, nadat de paardenmènner het applaus in ontvangst heeft genomen.

'Wat dacht je van nooit?' antwoordt Ilka. Ze moet er niet aan denken. Ze vindt het allang knap van zichzelf dat ze op één paard kan blijven zitten, voorlopig vindt ze dat meer dan genoeg.

Tass, die naast haar zit, kijkt haar ernstig aan. 'Jai wel doen, ik jouw vriend niet,' zegt hij.

Ilka kijkt hem vragend aan.

'*Look*,' zegt Olga wijzend, voordat Tass kan reageren. '*Look, stupid.*'

Olga en Tass hebben hen meegenomen naar deze paardenshow omdat de paardenmenner met zijn tienspan heel bijzonder is. Als je in Hongarije bent, moet je toch een keer zoiets zien, had Olga gezegd. Maar ze had er ook bij verteld dat ze daarna net zo goed weg konden gaan, omdat niet alles aan zo'n show even leuk is. Integendeel.

Nu de volgende act is ingezet, begrijpen Ilka en haar ouders al snel waarom.

Een jonge vrouw in een kobaltkleurig pak knalt met haar zweep door de lucht. Het scherpe geluid van de zweep doet zeer aan hun oren. De vrouw dwingt het paard om te gaan zitten en te gaan liggen. Dan gaat ze boven op hem staan, de ene voet op de schoft, de andere op de hals, en laat ze haar zweep vlak boven het paardenhoofd knallen. Dan gaat ze op het paard zitten en kijkt trots het publiek in dat in applaus losbarst.

Maar Ilka en haar ouders krijgen hun handen niet op elkaar.

'Waar is dit nou weer voor nodig?' mompelt Simone.

'Vroeger nodig,' zegt Olga, 'in oorlog, voor soldaat.' Ze legt uit dat de vroegere Hongaarse soldaten, de Huzaren, op de poesta vochten. In die uitgestrekte kale vlaktes is het bijna onmogelijk om ongezien te blijven. De enige manier om je te verschuilen was om op de grond te gaan liggen, met paard en al. 'Nu alleen voor toerist,' besluit Olga haar verhaal fel, '*is stupid*.'

Tass valt haar bij. 'Paard niet liggen, alleen soms, voor slapen.'

Ilka herinnert zich wat Tass daar een paar dagen geleden over heeft gezegd:

Tip 5:
Paarden zijn vluchtdieren en slapen daarom nooit lang achter elkaar. In totaal slaapt een paard maar ongeveer drie uur per vierentwintig uur, steeds maar hooguit tien minuutjes. Soms liggend, vaak staand (en dat is dan maar half slapen). De knieën van het paard kunnen 'op slot', zodat zijn benen niet moe worden als het staand een dutje doet... Ik ben blij dat ik geen paard ben. Ik vind in een bed slapen veel te lekker!

Nu Ilka dit prachtige, sterke paard op zijn zij ziet liggen, met de in het blauw geklede vrouw boven op hem, heeft ze ineens helemaal geen zin meer in deze show. Ze heeft de paardenmenner met zijn tien paarden gezien, dat vindt ze eigenlijk wel genoeg.

'Zullen we gaan?' stelt ze voor. 'Ik vind dit stom.'

Ze heeft het nog niet gezegd, of de eerste regendruppels kondigen zich aan.

'Goed idee,' zeggen Oszkar en Simone tegelijkertijd en met z'n allen weten ze zich binnen de kortste keren tussen het publiek uit te wurmen.

Gelukkig zien ze net niet meer hoe een van de paarden een rood tafellaken omgebonden krijgt en aan een grote houten tafel moet gaan zitten om braaf een bordje haver leeg te eten...

14

Met gestrekte rug zit Ilka op Drága's rug. Niet meer aan een touw, maar alleen, met teugels in haar handen.

Ze gaat rechtsom, en linksom.

Ze gaat sneller, en langzamer.

Ze stopt. En zet Drága daarna weer in beweging.

Dat een paard geen fiets is die je alle kanten uit kunt sturen, weet Ilka inmiddels maar al te goed. Een fiets heeft geen eigen wil, een paard wel, ook Drága. Als Ilka niet heel goed aanwijzingen geeft, doet Drága wat ze zelf wil. Alsof ze wil zeggen: 'Als jij niet duidelijk bent, ga ik lekker mijn eigen gang.'

Maar vandaag doet Drága precies wat Ilka wil. 'Braaf, heel braaf,' zegt ze. Ze geeft de merrie een paar zachte klapjes op haar hals, op de manier zoals Tass het haar heeft voorgedaan:

Tip 6:

Mensen kletsen vaak met een vlakke hand op een paardenhals. Maar doe nu eens het volgende testje: teken met je vinger rondjes op je dijbeen. Dat kriebelt een beetje. Geef dan een paar harde klappen op dezelfde plek en teken daarna weer zachtjes rondjes. Je zult merken dat je daar dan veel minder van voelt, omdat je huid ongevoe-

liger is geworden. Denk je dus dat een paard het fijn vindt
als je hem hard op zijn huid petst?

Ilka had het testje uitgeprobeerd. Nadat ze een paar keer met een vlakke hand op haar been had gepetst, voelde ze de zachte cirkels minder.

Tass zei gisteren dat hij haar wel álles zou willen vertellen wat hij van zijn vader heeft geleerd. Zijn vader is een bekende paardentrainer en is daarom vaak van huis. Hij geeft cursussen door heel Hongarije en is soms ook in het buitenland, zoals nu. Hij komt pas weer terug als Ilka en haar ouders alweer weg zijn. Jammer.

Ilka kijkt naar Tass, op Áloms rug, en voelt een steek in haar hart. Wat zal ze hem straks missen...

Met de boerderij is alles intussen geregeld. Alle papieren zijn ondertekend en de boerderij is nu officieel van hen. Nog drie dagen, dan gaan ze alweer weg. Maar ze wil niet weg, ze wil hier blijven... Ze kan zich nu niet meer voorstellen dat ze in paniek achteruit sprong toen Álom aan haar hand snuffelde. Ze heeft het gevoel dat ze hier al maanden is, in plaats van nog maar een paar weken.

Drága beweegt haar kop heen en weer en versnelt zomaar even haar pas. Alsof ze Ilka's onrust voelt. Of is ze onrustig van het weer? Het rommelt al dagen, maar afgezien van een paar korte, hevige regenbuien is het plakkerige, broeierige weer nog steeds niet ontladen door een stevig onweer.

'*You okay?*' hoort Ilka Tass vragen.

Ze kijkt hem aan. Tranen prikken achter haar ogen. Nee, het is helemaal niet oké, denkt ze. Ik moet hier binnenkort weer weg. En dan moet ik afscheid nemen van jou, en van Drága...

Vanaf een afstandje kijkt Tass haar onderzoekend aan. Hij komt dichterbij, strekt zijn hand naar haar uit en strijkt haar even over haar wang. '*Nagyon jó veled lenni*,' zegt hij zachtjes.

Ilka weet niet wat het betekent, maar het klinkt zo lief, dat ze alsnog bijna in huilen uitbarst.

'Oké,' praat ze er snel overheen. 'Zullen we weer?'

15

Tip 7:

Paarden zijn het liefst samen, daarom heten ze kuddedieren. Paarden die in hun eentje in de wei staan, zijn gauw eenzaam. Een paard is nog liever samen met een geit dan helemaal alleen.

Tip 8:

Als een paard in je oor blaast of aan je hand snuffelt, hoef je niet bang te zijn, want het paard zegt jou dan gewoon gedag.

Tip 9:

Als een paard lekker door de wei draaft, met zijn hoofd en staart laag, dan is het blij.

Een boos paard legt zijn oren plat naar achteren.

Als een paard zijn lippen een klein beetje optrekt, is het niet per se boos, want paarden doen dat ook als ze een raar geurtje ruiken. Reuk is het belangrijkste zintuig van een paard. Aan de geur herkennen ze elkaar.

Tip 10:

Een paard weet heel snel hoe jij je voelt. Als je zenuwachtig bent, heb je een andere ademhaling (bijvoorbeeld sneller), ga je anders praten (bijvoorbeeld zachter of juist

kribbig) of ga je bijvoorbeeld aan je kleren frummelen.
Dat merken paarden meteen.

Ilka heeft de laatste zin nog niet opgeschreven, of ze krimpt ineen van schrik. Een bliksemschicht zet haar kamer een kort moment in een fel licht en nog geen drie tellen later volgt er een donderklap. Het onweer, dat al een week in de lucht hangt, lijkt nu eindelijk los te barsten.

Ilka zwaait haar benen naar één kant van het bed, zet haar blote voeten op het zeil en loopt naar het raam. Voorzichtig trekt ze haar gordijn een stukje weg. Weer een flits, en nog geen twee seconden later een knal. Ilka deinst achteruit en rent naar de deur.

'Schatje, gaat het?' klinkt de stem van Simone die net op dat moment komt binnenlopen.

Ilka weet niet hoe snel ze de veiligheid van haar moeders armen moet zoeken. 'Ik vind dit eng!'

Simone houdt haar stevig vast. 'Ik ook...' bekent ze.

Even later staan ze met z'n drieën bij het raam, hun armen om elkaar heen geslagen.

'Fascinerend,' zegt Oszkar, terwijl hij het schouwspel bewondert van de razendsnel op elkaar volgende bliksemflitsen.

'Wat je fascinerend noemt,' zegt Simone met een dunne bibberstem. 'Ik vind het drie keer niks.'

'Een wonder der natuur,' zegt Oszkar, na weer een oorverdovende donderslag. 'Doe mij er nog maar eentje.'

Hij wordt op zijn wenken bediend. Een flits, met nog geen seconde later zo'n harde knal dat zelfs Oszkar er nu van schrikt.

'Mijn hemel,' zegt hij. 'Die leek écht wel recht boven ons hoofd.'

De regen klettert tegen de ramen. Een volgende bliksemschicht zet de kamer twee seconden lang in een fel licht. Dit keer laat de donder nog geen tel op zich wachten.

'Mam, pap!' gilt Ilka. Ze verstopt haar gezicht onder haar moeders arm.

Even is het stil. Dan klinkt er een ander geluid: dat van in paniek hinnikende paarden.

Ilka plakt haar neus tegen het raam. Lichten schieten aan in het huis van Olga en Tass.

Even later klinken er schreeuwende stemmen.

Zonder erbij na te denken, wurmt Ilka zich onder de arm van Simone vandaan, rent naar de gang, schiet in haar regenlaarzen en trekt de deur open. Dan hoort ze niet alleen de donder, de schreeuwende stemmen en de hinnikende paarden, maar ziet ze ook iets verschrikkelijks...

16

De vlammen schieten uit het dak.

'Godallemachtig...' vloekt Oszkar binnensmonds. Als aan de grond genageld kijkt hij naar de vlammenzee, nog geen vijftig meter verderop.

Simone staat naast hem, sprakeloos, haar handen voor haar mond geslagen.

Ze hebben niet eens in de gaten dat ze binnen een paar seconden doorweekt zijn van de regen.

Een bliksemflits schiet door de lucht, Ilka krimpt ineen. Maar de donderslag volgt dit keer niet meteen en laat even op zich wachten.

Het vuur grijpt snel om zich heen. Ondanks de regen verzamelen zich dikke rookwolken boven en rondom Laszlo's oude boerderij.

'De brandweer, we moeten de brandweer bellen!' roept Simone, plotseling helder van geest. Ze heeft het nog niet geroepen of Olga komt aanrennen. Ze houdt een plastic zak boven haar hoofd en kijkt verwilderd uit haar ogen. 'Ik brandweer heb bellen!' roept ze. Dan rent ze er weer vandoor. 'Paarden weg!' roept ze erachteraan.

Verwilderd kijkt Oszkar om zich heen. 'Kunnen we niks doen?' roept hij in paniek.

Langzaam schudt Simone haar hoofd. Ze laat haar

schouders hangen. 'Wachten op de brandweer,' zegt ze. 'Dat is het enige wat we kunnen doen.'

Intussen weet Ilka al helemaal niet meer waar ze haar aandacht op moet richten: op de brandende boerderij of op de in paniek gevluchte paarden. Waar is Drága, vraagt ze zich koortsachtig af. Is zij ook weg?

Ze kijkt omhoog. De lichtflitsen schieten nog kriskras door de lucht, maar het gedonder trekt langzaam weg. Dan verplaatst haar blik zich naar de grasvlaktes in de verte, die in het donker zijn gehuld.

'Ilka,' hoort ze ineens Tass' gehaaste stem.

Met een ruk draait ze zich om. Daar staat hij, doorweekt, met grote ongeruste ogen. 'Paarden weg...' zegt hij. '*Panic.*' Hortend en stotend legt hij uit dat de paarden zijn uitgebroken. Allemaal. Dwars door het hek.

'Ook Drága?' vraagt Ilka, terwijl ze diep vanbinnen het antwoord al weet.

Tass knikt. Hij pakt haar hand. 'Komt goed,' zegt hij dan met een iets vastere stem. Hij wijst naar de pikzwarte hemel die alleen nog zo nu en dan door dunne bliksemschichten wordt verlicht. 'Niks zien nu. Morgen.'

Zijn hand voelt klam maar warm aan. Er gaat een rilling door Ilka heen.

Morgen, haar laatste dag hier.

Met een uitgebrande boerderij, en een wei zonder paarden...

17

Langzaam, met de schrik nog in haar ogen, komt ze aanlopen. Even schudt ze haar hoofd heen en weer en briest.

'Kom maar. Je hoeft niet bang te zijn.' Ilka steekt haar hand naar de merrie uit. Behoedzaam komt Drága dichterbij, stapje voor stapje. Dan staat ze even stil en briest zachtjes. 'Kom maar, bij mij ben je veilig.' De merrie zet zichzelf weer in beweging. Ilka steekt langzaam haar hand uit en legt hem op de zachte paardenneus. Ze sluit haar ogen en zucht. Als ze haar ogen weer opent, kijkt Drága haar aan. Ze maakt een kauwbeweging en zucht diep.

Ilka legt haar handen over Drága's gezicht en strijkt zachtjes naar beneden en naar voren. En ineens heeft ze, heel even, het gevoel alsof Drága en zij één zijn...

Met een diepe zucht opent Ilka haar ogen. Half verwacht ze Drága te zien. Maar dat kan niet, zij ligt immers in bed, en Drága is...

Dan schiet ze overeind, plotseling klaarwakker. Haar hart gaat tekeer. De beelden van gisteravond staan haar ineens weer helder voor de geest. Nadat de brandweer de brand had geblust, was er weinig meer van de boerderij over. Alleen de muren staan er nog.

Wat is Ilka blij dat ze het fotoboek er al uit had gehaald, ze moet er niet aan denken dat ze dat nooit had gevonden.

Ze springt uit bed, schiet in haar korte broek en trekt een T-shirt over haar hoofd. Met vlugge vingers vetert ze haar gympen dicht en rent naar buiten.

Daar staat de zwartgeblakerde boerderij. Ook van de oude appelboom die vlak bij de boerderij stond, is niet veel meer over. De rieten schommelstoel is tot as vergaan.

Ilka draait zich om en rent naar het huis van Tass. Ze roept. Niemand.

Ze rent naar de wei. Het hek aan de achterkant is doormidden gebroken. Zes paarden zijn daar vannacht in paniek dwars doorheen gerend, niemand weet waarnaartoe.

Aarzelend kijkt Ilka om zich heen. Haar blik blijft op het gastenhuisje rusten, dat gelukkig zo ver op het erf staat dat de vlammen het niet hebben kunnen bereiken. Zo te merken slapen haar ouders nog. Zij zijn pas later teruggegaan naar bed dan Ilka.

Dan wordt haar blik naar het weiland getrokken en naar de uitgestrekte poesta daarachter. Haar voeten komen in beweging, alsof ze er zelf geen controle over heeft. Door het weiland, langs het hek, over de kale vlakte daarachter. Als een veulentje dat op zoek is naar haar moeder...

De lucht is helder blauw. Het onweer lijkt alle wolken in het niets te hebben opgelost.

Ilka kijkt om zich heen. Afgezien van de vogels die vrolijk aan hun dag beginnen, is ze hier helemaal alleen. Een ooievaar staat op een hoge paal te soezen. Alsof er vannacht niets is gebeurd. Alsof er geen verschrikkelijk onweer is geweest dat een boerderij heeft afgebrand en een kudde paarden op hol heeft doen slaan. Alsof de tijd stil heeft gestaan.

Ilka voelt haar voeten in het natte gras soppen. De paardenbloemen glinsteren nog van het vocht. Ze kijkt om. De uitgebrande boerderij is inmiddels een stipje in de verte, net als het huis van Tass.

Ineens voelt ze zich zenuwachtig worden. Er is hier niemand, stel dat er iets gebeurt, wie moet haar dan helpen?

Ze aarzelt en kijkt naar het wuivende rietland dat voor haar ligt. Vanaf de boerderij kun je zien dat er achter dat riet nog een oneindige poesta ligt, maar vanaf hier heeft ze geen idee hoe groot het rietland is. Ze zou terug moeten gaan, ze weet het, maar misschien is Drága wel aan de andere kant, en weet ze niet hoe ze terug moet...

Ilka zet een voorzichtige stap, en nog een. Voordat ze het weet, staat ze midden tussen het riet. Als ze nog een stap wil zetten, voelt ze ineens haar rechtervoet wegzakken.

Verschrikt kijkt ze naar beneden: de grond is hier zo zacht en nat dat ze er tot aan haar enkels in wegzakt.

Snel tilt Ilka haar voet op en zoekt om zich heen naar een droger stukje grond. Maar de volgende voet die ze neerzet, zakt nog dieper weg.

Haar hart gaat wild tekeer. Daar staat ze, moederziel alleen, midden in het rietveld. De pluimen steken hoog boven haar uit, ze heeft geen flauw idee waar ze is...

Met moeite weet ze haar voet uit de modder te trekken en een stap naar voren te zetten. Ze zakt nog dieper weg. In paniek grijpt ze een paar rietstengels beet, maar die geven nauwelijks houvast.

Terwijl ze haar tranen probeert te bedwingen, trekt ze

haar voet omhoog en zet ze een stap opzij. Tot haar grote verrassing blijft haar voet gewoon staan. Godzijdank, vaste grond! Snel zet ze haar andere voet ernaast.

Voorzichtig, stapje voor stapje, werkt ze zich door het rietveld heen, nu en dan door de modder, dan weer met vaste grond onder haar voeten.

Als ze eindelijk aan de andere kant van het rietland komt en het droge grasland van de poesta haar verwelkomt, kijkt ze met een zucht van opluchting op.

Dan stokt haar adem...

18

Aan de rand van het rietveld staat een kudde van wel minstens twintig wilde paarden. Paarden die ze hier nog nooit heeft gezien, ook niet vanuit de boerderij.

Als Ilka plotseling uit het rietveld tevoorschijn komt, schieten de paarden een stukje opzij. Eentje begint zacht te hinniken.

Met bonkend hart blijft Ilka staan. Ze moet terug, het rietland in!

Het paard dat het dichtst bij haar staat, een bruinwit gevlekte merrie, kijkt haar nieuwsgierig aan, haar hoofd niet strak omhoog maar juist ontspannen naar beneden.

Ineens herinnert Ilka zich wat Tass over wilde paarden heeft gezegd:

Tip 11:
Paarden zijn niet alleen kuddedieren, maar ook prooidieren en vluchtdieren. Als je een kudde wilde paarden tegenkomt, moet je nooit zomaar meteen op ze af lopen, want dan denken ze dat je een roofdier bent en vluchten ze. Zij zijn banger voor jou dan jij voor hen hoeft te zijn.

Kijk paarden nooit strak aan, want dan lijkt het of je een prooi besluipt. Kijk met zachte ogen, net als paarden zelf doen...

Ilka ademt diep in en uit. Ze zullen haar niet zomaar aanvallen, zo zijn paarden niet. Tenminste, niet als ze nog nooit slecht zijn behandeld door mensen. Gisteren had ze dat nog in haar schrift geschreven:

Tip 12:
Sommige paarden hebben vervelende dingen meegemaakt met mensen, dan kan het heel lang duren voordat een paard je vertrouwt. Zelfs als je een heel goede paardentrainer bent, zoals de vader van Tass.

Terwijl Ilka stil op haar plek blijft staan, bestudeert ze de paarden om haar heen. Ze staan rustig op vier benen en hun staarten hangen ontspannen naar beneden.

Ilka voelt haar spieren ontspannen. Ze kijkt nog eens goed om zich heen. Niet een van deze paarden heeft zijn oren plat naar achteren. Niet een heeft zijn hoofd of staart gespannen omhoog en niet een heeft een achterbeen van de grond om een trap uit te kunnen delen.

Ilka zucht diep en sluit even haar ogen. Als ze ze weer opent, is de bruinwit gevlekte merrie haar kant op gelopen.

Ilka glimlacht. Rustig steekt ze haar hand naar voren. De merrie komt dichterbij en snuffelt eraan. Ilka strijkt zachtjes over de zachte, warme paardenneus. 'Braaf,' zegt ze. Dan strijkt ze met beide handen over de wangen van het paard, naar beneden en naar voren.

Als ze even later terugloopt naar huis, is haar hart vervuld van trots.

19

'Tussen de wilde paarden?' roept Kim. 'Echt? En je was niet bang? Ik geloof je niet! Heb je foto's?'

Ilka moet lachen om de opgewonden woordenstroom van haar vriendin. 'Ik heb heel veel foto's, maar nou nét niet dáárvan,' antwoordt ze.

'Dan geloof ik je niet,' zegt Kim.

Ilka haalt haar schouders op. 'Dan niet.'

Ze wacht het heel even af en zoals ze al had verwacht, geeft Kim het snel op. 'Hier die foto's!' roept ze ongeduldig.

Als Kim even later met snelle vingers door de stapel foto's bladert, valt haar mond open van verbazing. Met grote ogen kijkt ze Ilka aan. 'Dat méén je niet, je hebt páárdgereden?'

Ilka knikt.

'En dat had je me niet even kunnen sms'en?' Kims stem klinkt verbolgen.

'Dat had ik wel kunnen doen,' zegt Ilka. 'Maar dan hadden we allebei onze spaarpot mogen omkeren om het extra beltegoed te kunnen betalen. Ik had je elke dag wel twintig sms'jes willen sturen en jij had me er wel veertig willen terugschrijven.' Ze giechelt. 'Maar het was wel ontzéttend moeilijk om het voor me te houden. Ik heb zóveel meegemaakt...'

Zodra ze eenmaal is begonnen, kan Ilka niet meer stoppen. In één adem vertelt ze haar vriendin het hele verhaal. Van de eerste paniek die ze voelde toen Álom aan haar hand snuffelde, tot en met haar ontmoeting met de wilde paarden.

Tass en Olga waren er met de auto op uit getrokken om hun paarden te zoeken, maar dat was niet nodig geweest. Drága, Álom en de andere vier paarden waren de ochtend na het onweer uit zichzelf weer teruggekomen. Vlak nadat Ilka terugkwam van haar eigen zoektocht, kwamen ze aangelopen.

Gelukkig was er niks met ze gebeurd. Ilka had er niet aan moeten denken dat de bliksem een van de paarden zou hebben getroffen. Een oude boerderij die toch al half op instorten stond, was minder erg, vond ze.

Oszkar en Simone hadden besloten op de plek van de oude boerderij een nieuw huis te bouwen, maar daar moesten ze eerst voor sparen.

Het afscheid was Ilka zwaar gevallen. Het liefst was ze stilletjes weggeslopen, maar dat kon natuurlijk niet. Olga had hen de laatste avond voor een feestmaal uitgenodigd, waarbij ook Anasztazia aanwezig was. Die had Ilka met glanzende ogen aangekeken en keer op keer gezegd dat ze zo blij was dat haar paardenmeisje weer terug was... Ilka was bang dat de vrouw al zo oud was, dat zij haar voor de verkeerde Ilka aanzag. Maar dat gaf niks.

Tass was de hele avond een beetje stil geweest. Toen ze de volgende ochtend afscheid namen, had hij haar verlegen op beide wangen gekust en dezelfde zin in haar oor gefluisterd als hij al eerder had gedaan. Eindelijk had ze de moed gehad om hem te vragen wat het betekende, maar hij had daar niet op geantwoord.

'*He likes to be with you*,' had Olga het ongevraagd voor haar vertaald, waarop Tass zijn moeder vernietigend had aangekeken.

Maar Ilka's knieën waren slap geworden. Ze had gebloosd en hem een extra kus op zijn wang gegeven. 'Ik ook,' had ze gezegd.

Als Ilka haar verhaal heeft gedaan, kijkt ze Kim met een zucht van spijt aan. 'En nu ben ik weer thuis...' Als ze aan Tass en zijn paarden denkt, krijgt ze tranen in haar ogen.

Even is Kim stil. 'Ik ben jaloers...' zegt ze dan zacht.

'Ook als ik je vertel dat je de volgende keer met ons mee mag?' zegt Ilka.

Kim springt op uit haar stoel. 'Echt?' roept ze.

'Echt,' zegt Ilka.

'En dan mag ik dus Drága zien, jouw droompaard?'

'En dat van Tass, Álom,' zegt Ilka. 'En misschien mag je op allebei wel rijden. Of misschien vind jij je eigen droompaard wel. Ze hebben er nog vier...'

Met een blik vol verlangen gaat Kim weer zitten. Ilka kan aan haar gezicht zien dat ze in gedachten nú al niet tussen de vier paarden kan kiezen. Het zal de grote zwarte hengst wel worden, daar ziet ze Kim wel voor aan.

'Nou, zal ik jou dan nu maar vertellen over mijn bloedsaaie vakantie in Italië?' zegt Kim met een zucht.

Ilka lacht en grijpt naar de schaal met koekjes. 'Ik kan niet wachten,' zegt ze.

Lees ook de andere boeken
van Tiny Fisscher

Stel je voor, je bent aan het winkelen met je beste vriendin. En opeens word je aangesproken door iemand van een Engels modellenbureau, die je vraagt om voor een testshoot naar Londen te komen. Dit overkomt Steph in *Ontdekt! Dagboek van een aanstormend model*. Hierna ontdekt ze hoe het is om een beginnend model te zijn. En dat het geen gemakkelijke weg is naar de top.

In *Beroemd! Dagboek van een model* beschrijft Tiny Fisscher hoe het Steph vergaat na haar eerste ervaringen in de modellenwereld. Na haar tijd in Japan werkt en woont Steph als professioneel model in Milaan en Barcelona. In *Beroemd!* is te lezen dat het modellenleven niet alleen bestaat uit glitter en glamour. Zelfs niet als Steph de kans krijgt een grote show te lopen in Monaco.

Steph kan het bijna niet geloven. Net op het moment dat haar carrière in het slop lijkt te raken, krijgt ze een contract aangeboden bij een groot modellenbureau in New York! Maar voordat ze echt aan de slag kan in de meest begeerde stad van de modellenwereld, moet Steph nog wel de nodige obstakels overwinnen. Niet alleen als model, maar ook in de liefde.

Tess en Sue zijn allebei zestien jaar oud en leren tijdens hun vakantie op Kreta Nikos kennen, die hun aanraadt naar het populaire strandpark Star Beach te gaan. Sunny, de Australiër die voor Star Beach werkt, biedt de vriendinnen daar zelfs een zomerbaantje aan. Nadat ze hun ouders hebben overgehaald, kan het feest beginnen. Sue wordt verliefd op de Nederlandse Eric. Maar is ze wel klaar voor een vast vriendje? Ook Tess worstelt met de liefde. Stiekem is ze erg onder de indruk van Sunny, maar het lijkt erop dat hij iets voor haar verborgen houdt...

Als de opa van Brid overlijdt, komt ze in maalstroom van gebeurtenissen en gevoelens terecht. En dan blijkt ook nog iedereen geheimen te hebben: haar opa, haar vader, haar nicht en haar wiskundeleraar. En het heeft allemaal te maken met de liefde. Haar eigen geheimen probeert Brid angstvallig verborgen te houden, zoals het feit dat ze aura's kan zien, en dat ze verliefd is...